만점왕 알파북

계산편

본 알파북은 **수학 학습내용 이해**에

도움이 될 만한 **계산력 문제**로 구성하였습니다.

이번 학기 교과서 구성과도 꼭 맞는

만점왕 알파북 계산편으로

수학 실력의 밑바탕을 다져 보세요!

2-1

차례

1

세 자리 수

학습 내용	학습한 날짜	맞힌 문제 수
1. 백, 몇백 알아보기	월 일	/ 11
2. 세 자리 수 알아보기	월 일	/ 10
3. 각 자리의 숫자가 나타내는 수 알아보기	월 일	/ 12
4. 뛰어 세어 보기	월 일	/ 12
5. 수의 크기 비교하기	월 일	/ 9

1 백, 몇백 알아보기

정답 36쪽

* 수직선을 보고 □ 안에 알맞은 수를 써넣으세요.

90 91 92 93 94 95 96 97 98 99 100

1 99보다 □ 만큼 더 큰 수는 100입니다.

2 98보다 □ 만큼 더 큰 수는 100입니다.

3 95보다 □ 만큼 더 큰 수는 100입니다.

4 92보다 □ 만큼 더 큰 수는 100입니다.

0 10 20 30 40 50 60 70 80 90 100

5 90보다 □ 만큼 더 큰 수는 100입니다.

6 70보다 □ 만큼 더 큰 수는 100입니다.

7 50보다 □ 만큼 더 큰 수는 100입니다.

8 30보다 □ 만큼 더 큰 수는 100입니다.

* 수 모형을 보고 □ 안에 알맞은 수나 말을 써넣으세요.

9

100이 □ 개이면 □ 이라 쓰고, □ (이)라고 읽습니다.

10

100이 □ 개이면 □ 이라 쓰고, □ (이)라고 읽습니다.

11

100이 □ 개이면 □ 이라 쓰고, □ (이)라고 읽습니다.

2 세 자리 수 알아보기

정답 36쪽

＊  안에 알맞은 수와 수 모형이 나타내는 세 자리 수를 쓰고 읽어 보세요.

1

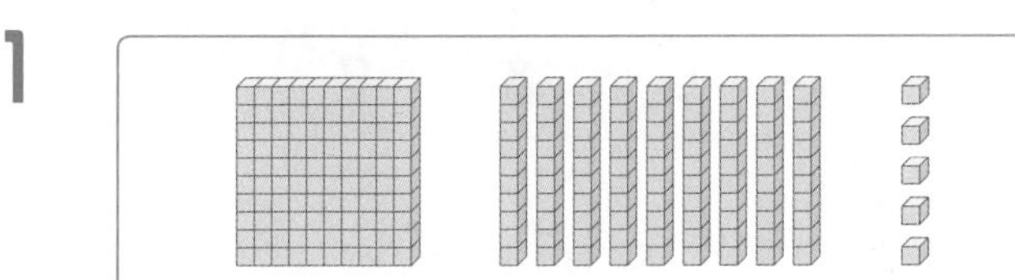

백 모형	십 모형	일 모형
□개	□개	□개

⬇

쓰기	읽기

2

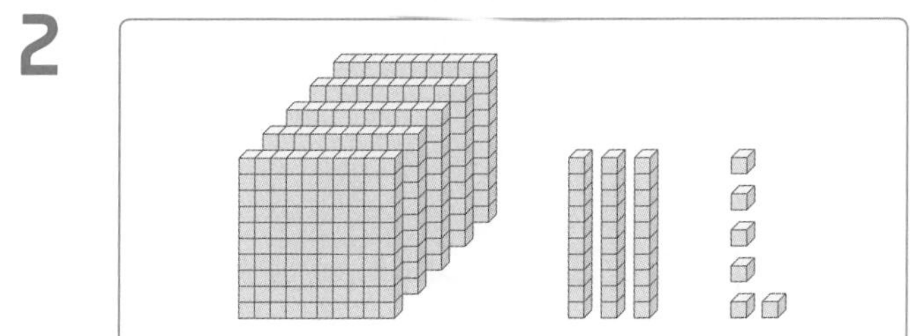

백 모형	십 모형	일 모형
□개	□개	□개

쓰기	읽기

＊ 빈칸에 알맞은 수 또는 말을 써넣으세요.

3

쓰기	읽기
491	

4

쓰기	읽기
888	

5

쓰기	읽기
	칠백이십일

6

쓰기	읽기
	이백육십

＊ 설명하는 수를 써 보세요.

7 100이 6개, 10이 2개, 1이 3개인 수

( )

8 100이 1개, 10이 12개, 1이 5개인 수

( )

9 100이 8개, 10이 0개, 1이 7개인 수

( )

10 100이 4개, 10이 9개, 1이 0개인 수

( )

3 각 자리의 숫자가 나타내는 수 알아보기

정답 36쪽

＊ 빈칸에 알맞은 숫자를 써넣으세요.

1

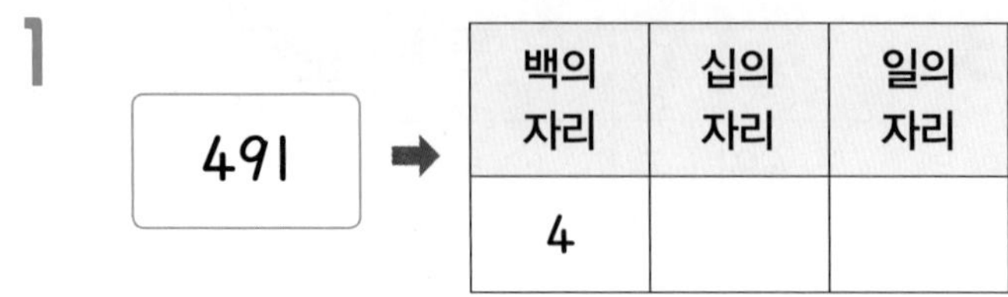

491 ➡

백의 자리	십의 자리	일의 자리
4		

2

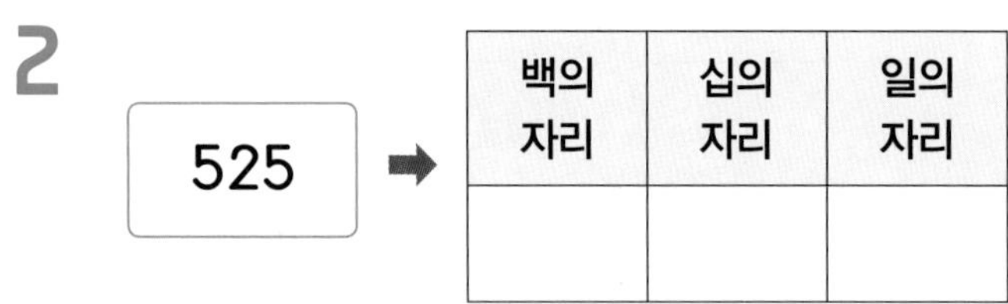

525 ➡

백의 자리	십의 자리	일의 자리

3

200 ➡

백의 자리	십의 자리	일의 자리

＊ 밑줄 친 숫자가 얼마를 나타내는지 써 보세요.

4 8<u>3</u>2 ➡ (　　　　　　)

5 <u>7</u>92 ➡ (　　　　　　)

6 60<u>5</u> ➡ (　　　　　　)

＊ 수 카드를 한 번씩만 사용해서 조건에 맞는 세 자리 수를 만들어 보세요.

6　8　9

7 백의 자리 숫자가 600을 나타내고 일의 자리 숫자가 9를 나타내는 수

(　　　　　　)

8 백의 자리 숫자가 9이고, 십의 자리 숫자가 60을 나타내는 수

(　　　　　　)

9 십의 자리 숫자가 9이고, 일의 자리 숫자가 6을 나타내는 수

(　　　　　　)

＊ 세 자리 수를 보기와 같이 나타내 보세요.

보기

721=700+20+1

10 562=500+□+□

11 911=□+□+1

12 □=400+20+9

4 뛰어 세어 보기

정답 36쪽

* 100씩 뛰어 세어 보세요.

1

2

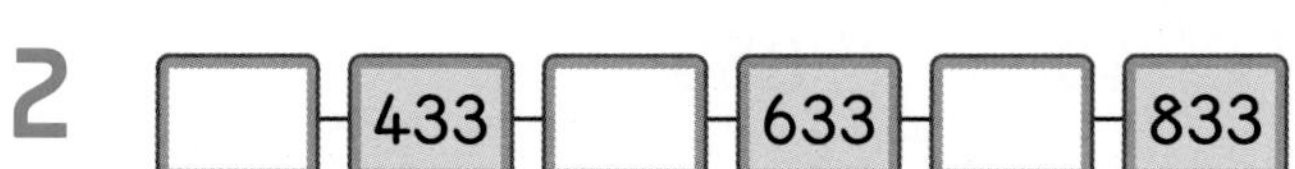

* 10씩 뛰어 세어 보세요.

3

4

* 1씩 뛰어 세어 보세요.

5

214 ( ) 216 ( ) 218 ( )

6

* 규칙을 찾아 뛰어 세어 보세요.

7

8

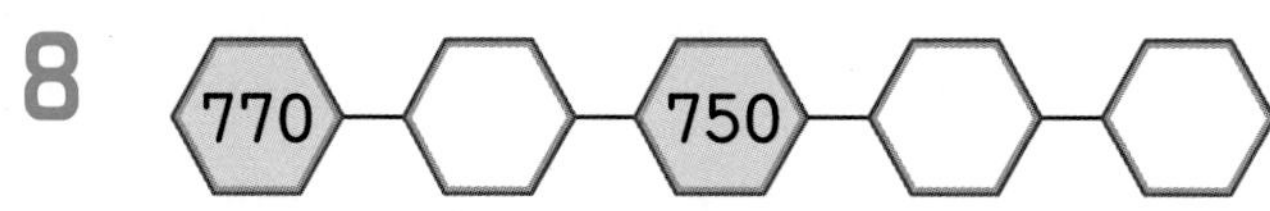

9

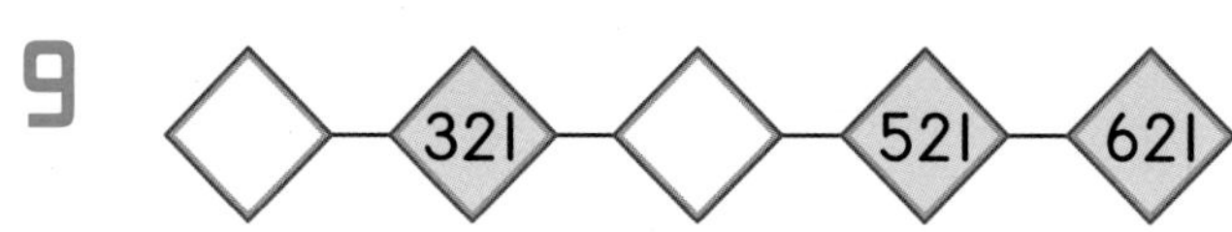

* 물음에 답하세요.

10 355에서 1씩 3번 뛰어 센 수는 얼마일까요?

( )

11 901에서 10씩 4번 뛰어 센 수는 얼마일까요?

( )

12 585에서 100씩 2번 거꾸로 뛰어 센 수는 얼마일까요?

( )

5 수의 크기 비교하기

정답 36쪽

* 모형이 나타내는 수를 쓰고 두 수의 크기를 비교하여 ○ 안에 >, <를 알맞게 써넣으세요.

1

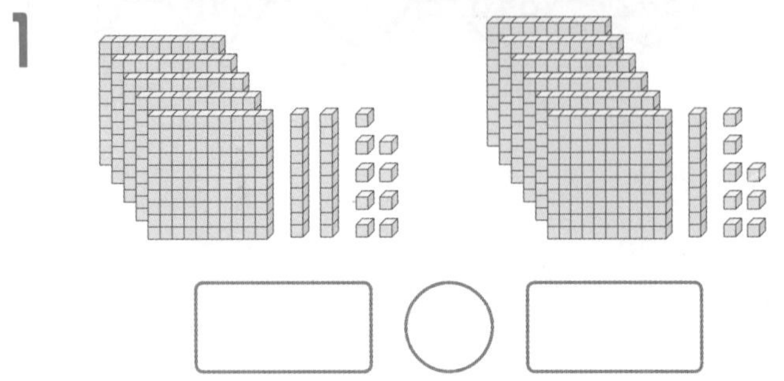

2

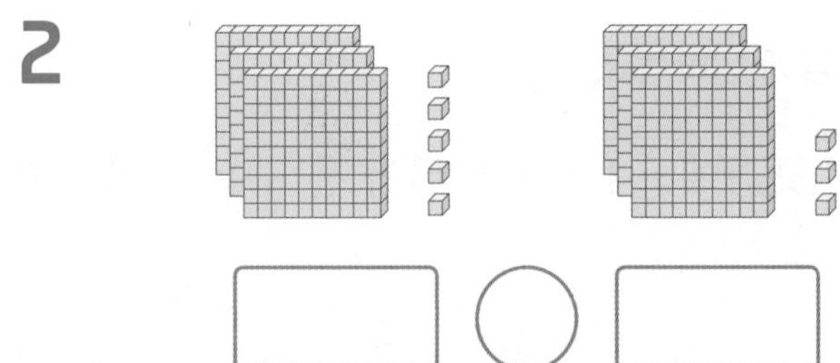

3

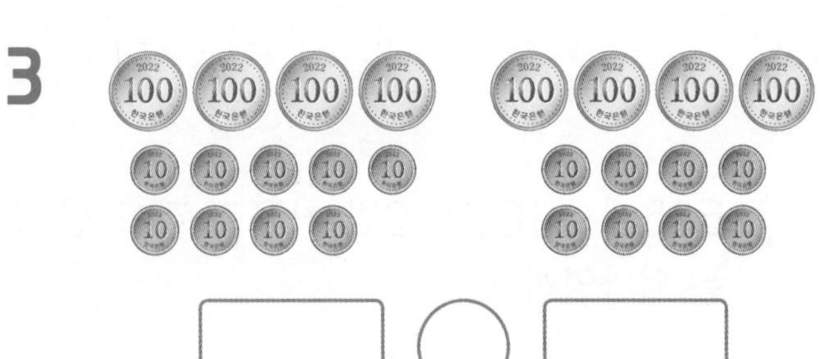

* 두 수의 크기를 비교하여 ○ 안에 >, <를 알맞게 써넣으세요.

4

541 ○ 549

5

403 ○ 353

6 772 ○ 789

* 더 큰 수에 ○표 하세요.

7

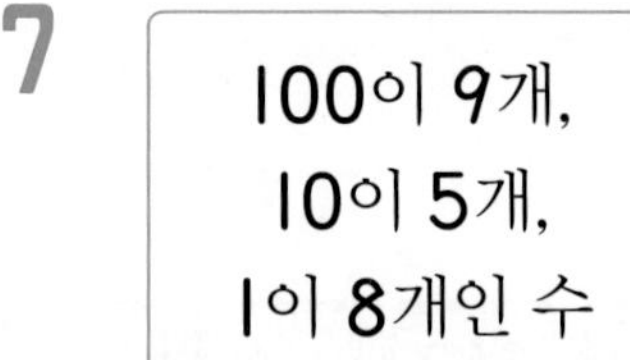

팔백구십오

8

100이 1개,
10이 13개인 수

이백이십칠

9

오백오십일

360에서
100씩 두 번
뛰어 센 수

2

여러 가지 도형

학습 내용	학습한 날짜	맞힌 문제 수
1. △을 알아보기	월 일	/ 12
2. □을 알아보기	월 일	/ 12
3. ○을 알아보기	월 일	/ 12
4. 칠교판으로 모양 만들기	월 일	/ 9
5. 여러 가지 모양으로 쌓기	월 일	/ 8

1 △을 알아보기

정답 36쪽

* 삼각형을 찾아 ○표 하세요.

1

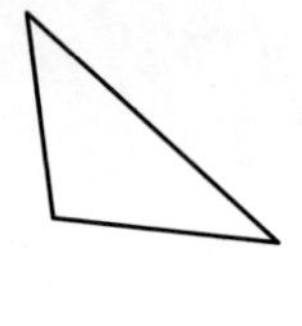
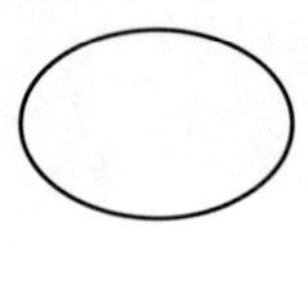

(　　) (　　) (　　)

2

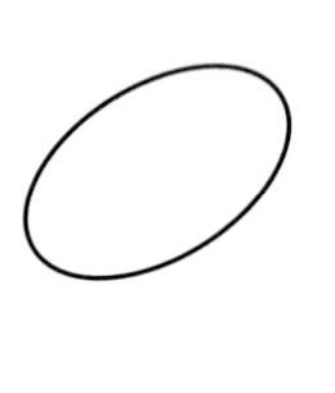
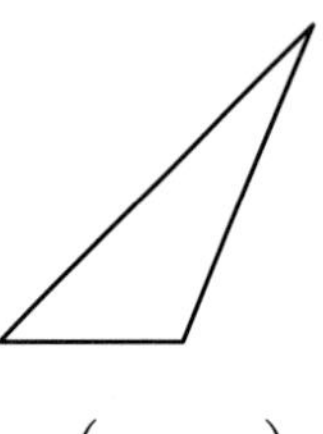

(　　) (　　) (　　)

3

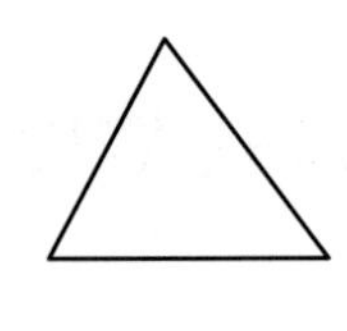
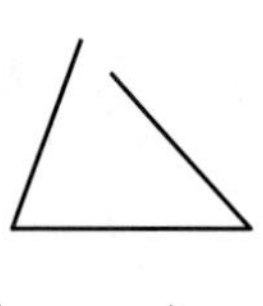

(　　) (　　) (　　)

4

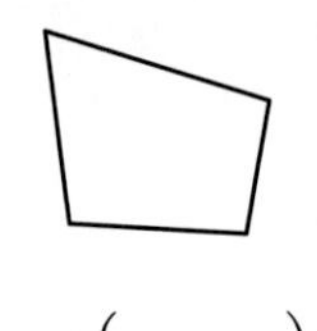
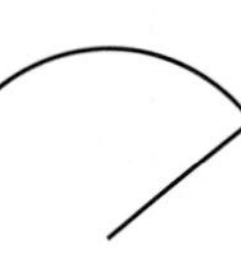

(　　) (　　) (　　)

5

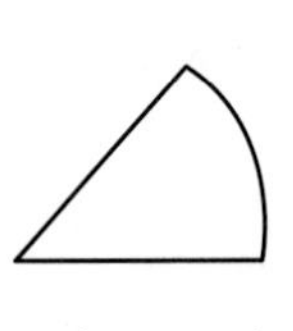
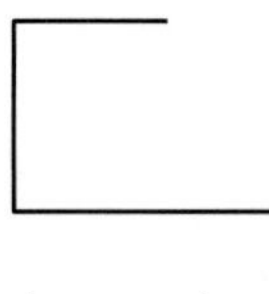

(　　) (　　) (　　)

6 □ 안에 알맞은 말을 써넣으세요.

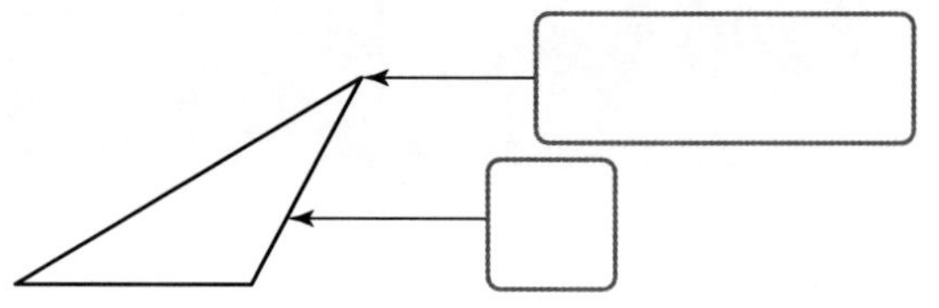

7 삼각형을 그려 보세요.

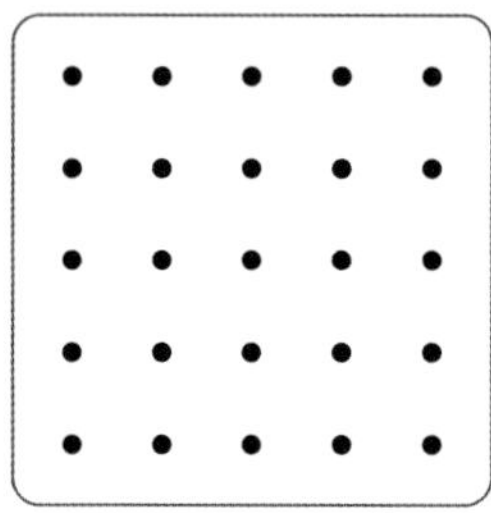

* 삼각형에 대한 설명으로 옳으면 ○표, 틀리면 ×표 하세요.

8 변이 3개입니다. (　　)

9 꼭짓점이 2개입니다. (　　)

10 굽은 선이 하나도 없습니다. (　　)

11 모든 삼각형은 모양이 같습니다. (　　)

12 뾰족한 부분이 하나도 없습니다. (　　)

2 □을 알아보기

정답 37쪽

* 사각형을 찾아 ○표 하세요.

1 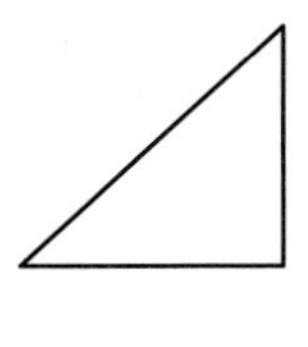 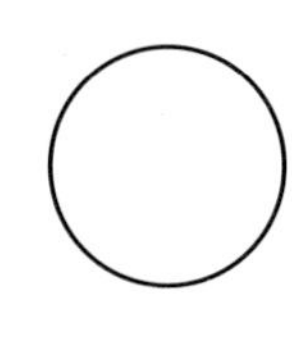 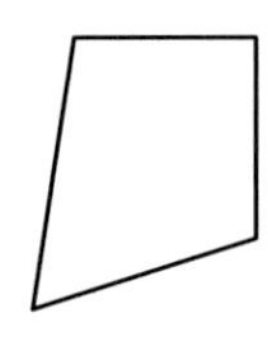

(　　) (　　) (　　)

2 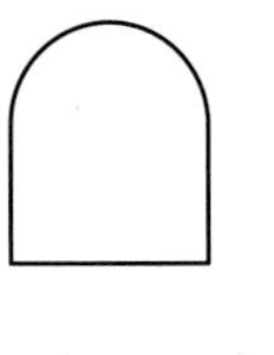 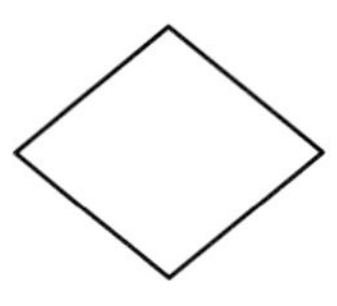 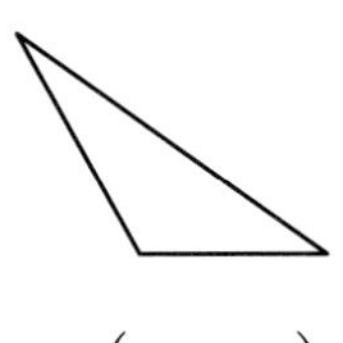

(　　) (　　) (　　)

3 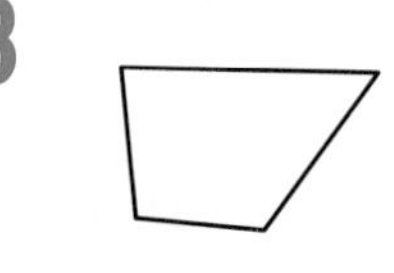 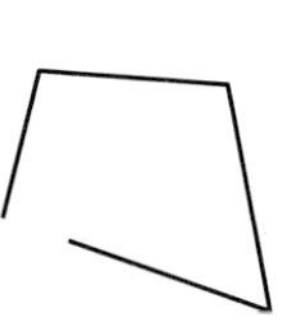  

(　　) (　　) (　　)

4  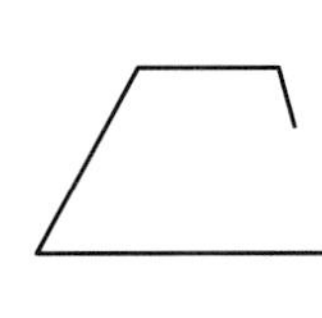 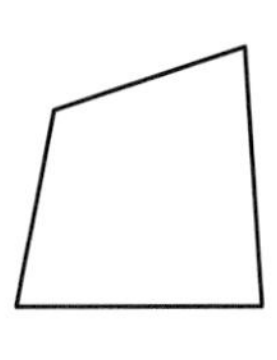

(　　) (　　) (　　)

5 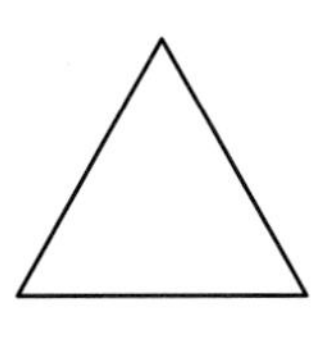 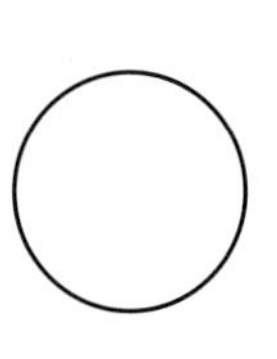

(　　) (　　) (　　)

6 사각형을 찾을 수 있는 안전 표지판에 ○표 하세요.

(　　) (　　) (　　)

7 사각형을 그려 보세요.

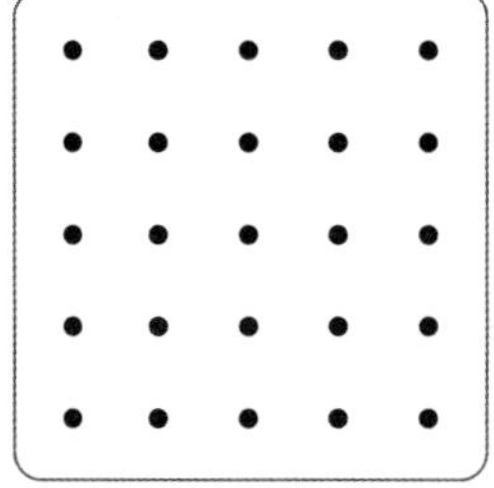

* 사각형에 대한 설명으로 옳으면 ○표, 틀리면 ×표 하세요.

8 꼭짓점이 없습니다. (　　)

9 변이 4개입니다. (　　)

10 동그란 모양의 도형입니다. (　　)

11 곧은 선으로 둘러싸여 있습니다. (　　)

12 뾰족한 부분이 한 군데 있습니다. (　　)

3 ○을 알아보기

정답 37쪽

* 원을 찾아 ○표 하세요.

1

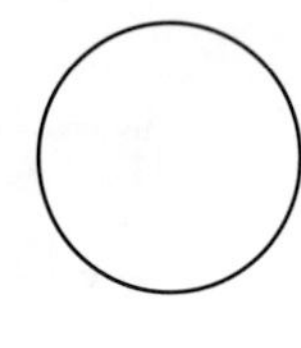 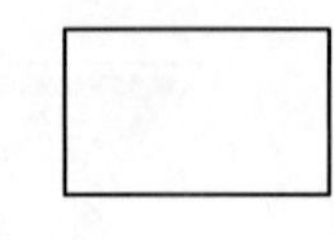 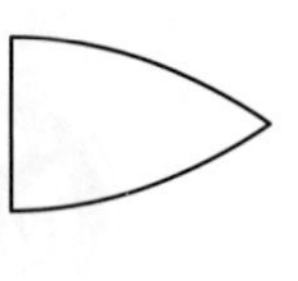

( ) ( ) ( )

2

 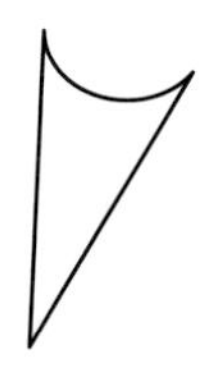 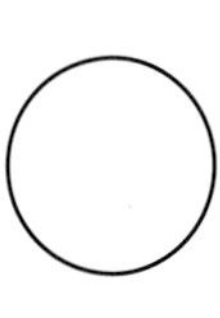

( ) ( ) ( )

3

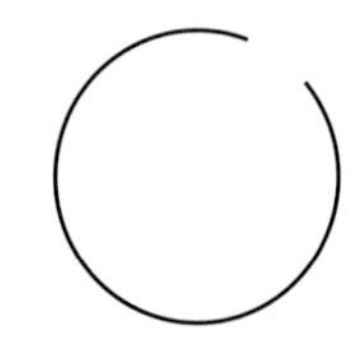 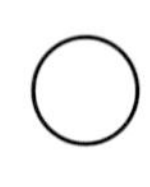 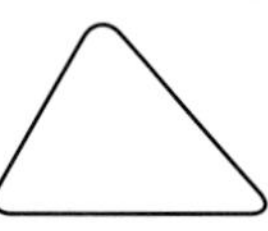

( ) ( ) ( )

4

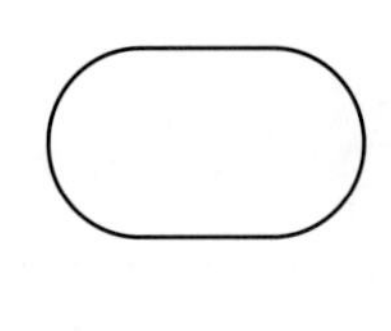 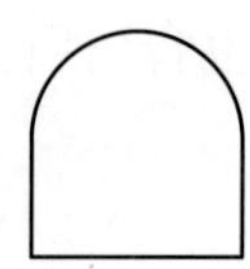 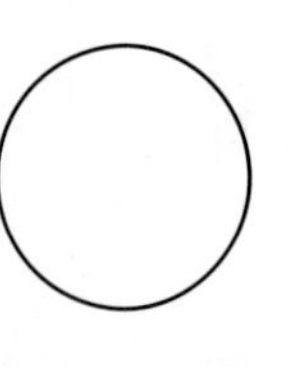

( ) ( ) ( )

5 원을 본뜰 수 있는 물건이 아닌 것은 어느 것인가요? ( )

①  ② 

③ 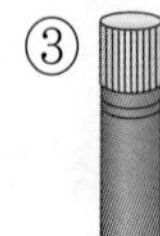

④  ⑤ 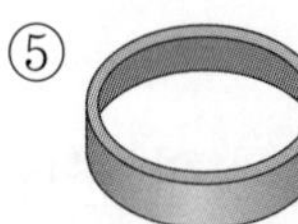

6 여러 가지 도형을 사용하여 만든 모양입니다. 원은 몇 개인가요?

( )

7 주변의 물건을 사용하여 원을 그려 보세요.

* 원에 대한 설명으로 옳으면 ○표, 틀리면 ×표 하세요.

8 곧은 선으로 이루어져 있습니다. ( )

9 뾰족한 부분이 없습니다. ( )

10 동그란 모양입니다. ( )

11 모든 원은 모양이 같습니다. ( )

12 모든 원은 크기가 같습니다. ( )

4 칠교판으로 모양 만들기

정답 37쪽

* **칠교판을 보고 물음에 답하세요.**

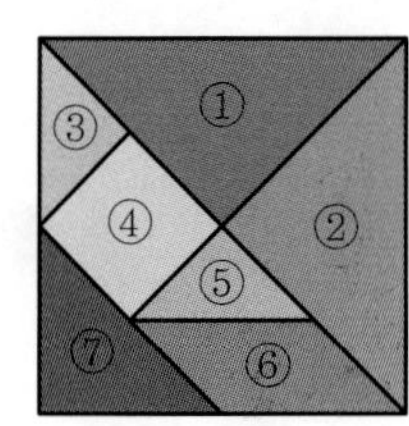

1 칠교판의 조각은 모두 몇 개인가요?

( )

2 칠교판 조각에서 삼각형 모양은 모두 몇 개인가요?

( )

3 칠교판 조각에서 사각형 모양은 모두 몇 개인가요?

( )

4 ③, ⑤ 두 조각을 모두 이용하여 삼각형을 만들어 보세요.

삼각형

5 ③, ⑤ 두 조각을 모두 이용하여 사각형을 만들어 보세요.

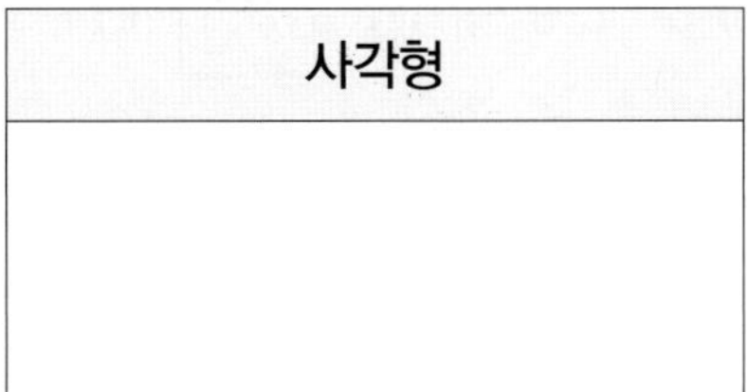

6 ③, ⑤, ⑦ 세 조각으로 오른쪽 삼각형을 만들어 보세요.

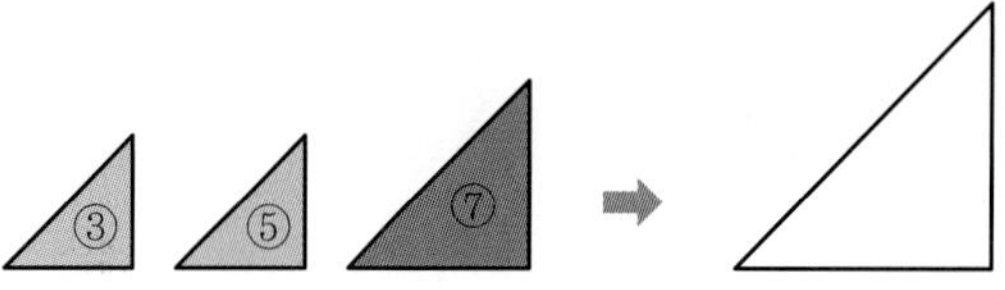

7 ③, ④, ⑤ 세 조각으로 오른쪽 사각형을 만들어 보세요.

8 ③, ⑤, ⑥ 세 조각으로 오른쪽 사각형을 만들어 보세요.

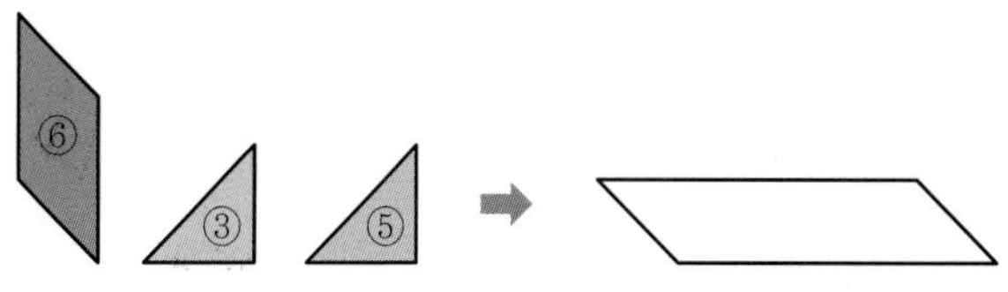

9 칠교판에서 찾을 수 없는 도형에 ○표 하세요.

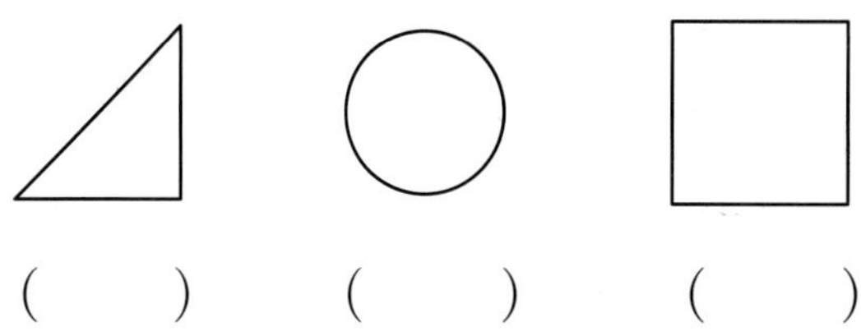

( ) ( ) ( )

5 여러 가지 모양으로 쌓기

정답 37쪽

* **똑같은 모양으로 쌓는 데 필요한 쌓기나무는 몇 개인지 구해 보세요.**

1

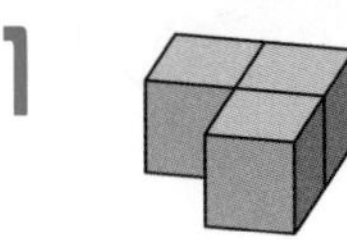

(　　　　　　　　　　)

2

(　　　　　　　　　　)

3

(　　　　　　　　　　)

4

(　　　　　　　　　　)

5

(　　　　　　　　　　)

6 ㉠의 위에 있는 쌓기나무를 찾아 ○표 하세요.

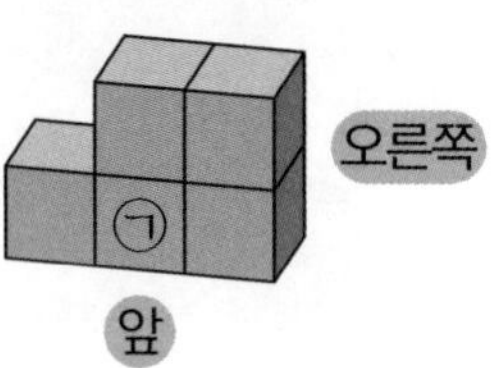

* **쌓기나무로 쌓은 모양에 대한 설명입니다. □ 안에 알맞은 수나 말을 써넣으세요.**

7

□층에 쌓기나무 □개가 있고, □층에 쌓기나무 □개가 있습니다.

8

오른쪽
앞

1층에 쌓기나무 □개가 옆으로 나란히 있고, 가장 왼쪽에 있는 쌓기나무 □에 쌓기나무 □개가 있습니다.

3

덧셈과 뺄셈

학습 내용	학습한 날짜	맞힌 문제 수
1. 덧셈을 하는 여러 가지 방법 알아보기 (1)	월 일	/ 14
2. 덧셈을 하는 여러 가지 방법 알아보기 (2)	월 일	/ 14
3. 뺄셈을 하는 여러 가지 방법 알아보기 (1)	월 일	/ 14
4. 뺄셈을 하는 여러 가지 방법 알아보기 (2)	월 일	/ 14
5. 세 수의 계산하기	월 일	/ 12
6. 덧셈과 뺄셈의 관계를 식으로 나타내기	월 일	/ 10
7. □의 값 구하기	월 일	/ 16

1 덧셈을 하는 여러 가지 방법 알아보기 (1)

정답 38쪽

＊ 덧셈해 보세요.

1 $\begin{array}{r} 26 \\ +\ \ 5 \\ \hline \end{array}$

2 $\begin{array}{r} 13 \\ +\ \ 9 \\ \hline \end{array}$

3 $\begin{array}{r} 75 \\ +\ \ 7 \\ \hline \end{array}$

4 $\begin{array}{r} 37 \\ +\ \ 4 \\ \hline \end{array}$

5 $\begin{array}{r} 9 \\ +\ 26 \\ \hline \end{array}$

6 $\begin{array}{r} 8 \\ +\ 65 \\ \hline \end{array}$

7 $\begin{array}{r} 9 \\ +\ 45 \\ \hline \end{array}$

＊ 덧셈해 보세요.

8 $63+8$

9 $74+8$

10 $14+9$

11 $84+7$

12 $28+4$

13 $6+17$

14 $6+38$

2 덧셈을 하는 여러 가지 방법 알아보기 (2)

정답 38쪽

* 덧셈해 보세요.

1 $\begin{array}{r} 35 \\ +\ 16 \\ \hline \end{array}$

2 $\begin{array}{r} 43 \\ +\ 18 \\ \hline \end{array}$

3 $\begin{array}{r} 65 \\ +\ 27 \\ \hline \end{array}$

4 $\begin{array}{r} 62 \\ +\ 45 \\ \hline \end{array}$

5 $\begin{array}{r} 53 \\ +\ 63 \\ \hline \end{array}$

6 $\begin{array}{r} 33 \\ +\ 89 \\ \hline \end{array}$

7 $\begin{array}{r} 48 \\ +\ 94 \\ \hline \end{array}$

* 덧셈해 보세요.

8 $29+38$

9 $13+57$

10 $36+29$

11 $24+37$

12 $81+62$

13 $82+48$

14 $85+58$

3 뺄셈을 하는 여러 가지 방법 알아보기 (1)

정답 38쪽

✽ 빼셈해 보세요.

1 $\begin{array}{r} 16 \\ -\ \ 9 \\ \hline \end{array}$

2 $\begin{array}{r} 45 \\ -\ \ 8 \\ \hline \end{array}$

3 $\begin{array}{r} 65 \\ -\ \ 7 \\ \hline \end{array}$

4 $\begin{array}{r} 33 \\ -\ \ 5 \\ \hline \end{array}$

5 $\begin{array}{r} 23 \\ -\ \ 7 \\ \hline \end{array}$

6 $\begin{array}{r} 41 \\ -\ \ 3 \\ \hline \end{array}$

7 $\begin{array}{r} 54 \\ -\ \ 6 \\ \hline \end{array}$

✽ 빼셈해 보세요.

8 24－9

9 64－6

10 27－9

11 52－8

12 13－5

13 82－4

14 36－7

4 뺄셈을 하는 여러 가지 방법 알아보기 (2)

정답 38쪽

* 뺄셈해 보세요.

1 $\begin{array}{r} 30 \\ -\ 12 \\ \hline \end{array}$

2 $\begin{array}{r} 40 \\ -\ 27 \\ \hline \end{array}$

3 $\begin{array}{r} 50 \\ -\ 13 \\ \hline \end{array}$

4 $\begin{array}{r} 20 \\ -\ 15 \\ \hline \end{array}$

5 $\begin{array}{r} 33 \\ -\ 17 \\ \hline \end{array}$

6 $\begin{array}{r} 44 \\ -\ 25 \\ \hline \end{array}$

7 $\begin{array}{r} 58 \\ -\ 19 \\ \hline \end{array}$

* 뺄셈해 보세요.

8 30－21

9 74－16

10 40－18

11 34－27

12 61－36

13 50－37

14 77－39

5 세 수의 계산하기

정답 38쪽

* □ 안에 알맞은 수를 써넣으세요.

1 $26+31+29=$ □

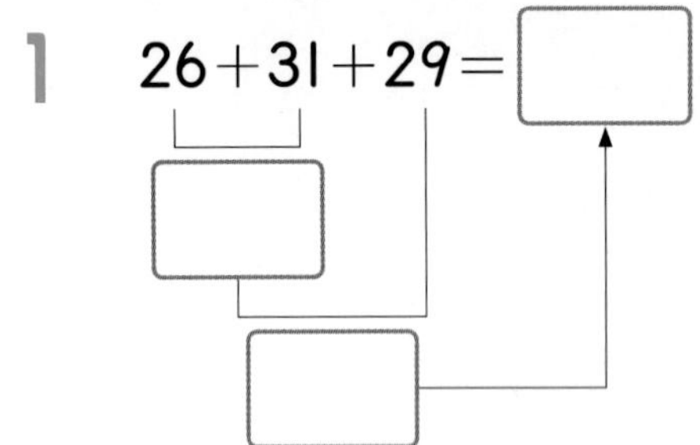

2 $45-17-23=$ □

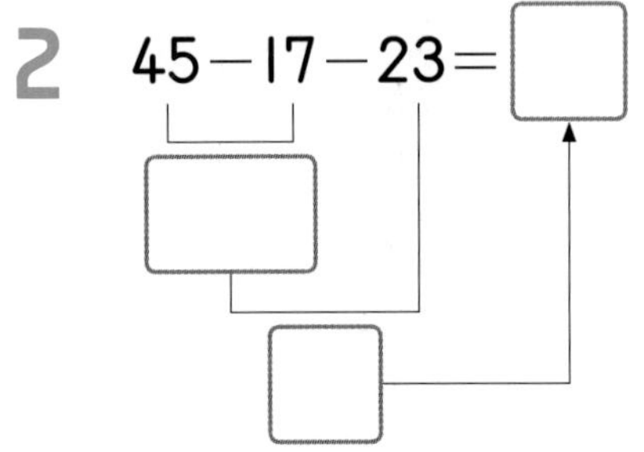

3 $55-16-15=$ □

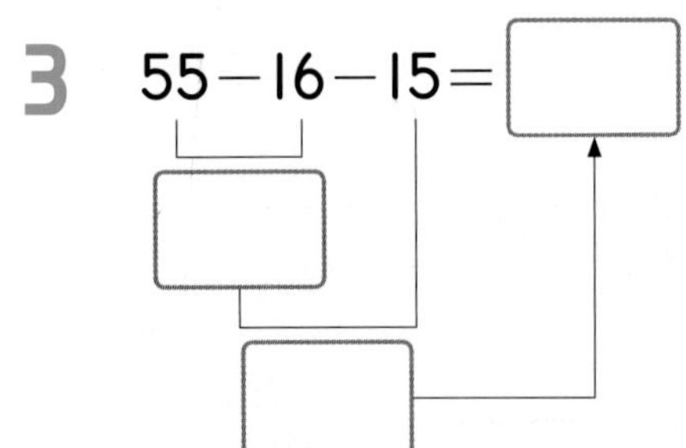

4 $63-25+47=$ □

5 $38+14-27=$ □

* 계산해 보세요.

6 $15+19+35$

7 $65+18+13$

8 $75-16-32$

9 $45-18+27$

10 $82-33+44$

11 $58+24-68$

12 $15+77-38$

6 덧셈과 뺄셈의 관계를 식으로 나타내기

정답 38쪽

* 덧셈식을 뺄셈식 2개로 나타내 보세요.

1 $4+6=10$

→ $\square-4=\square$, $\square-6=\square$

2 $25+16=41$

→ $\square-25=\square$, $\square-16=\square$

3 $23+39=62$

→ $\square-23=\square$, $\square-39=\square$

4 $15+29=44$

→ $\square-15=\square$, $\square-29=\square$

5 $32+39=71$

→ $\square-\square=\square$, $\square-\square=\square$

* 뺄셈식을 덧셈식 2개로 나타내 보세요.

6 $32-15=17$

→ $17+\square=\square$, $15+\square=\square$

7 $31-5=26$

→ $26+\square=\square$, $5+\square=\square$

8 $53-39=14$

→ $14+\square=\square$, $39+\square=\square$

9 $72-19=53$

→ $53+\square=\square$, $19+\square=\square$

10 $90-28=62$

→ $\square+\square=\square$, $\square+\square=\square$

7 □의 값 구하기

정답 39쪽

* □ 안에 알맞은 수를 써넣으세요.

1 12+□=20

2 24+□=42

3 17+□=26

4 36+□=55

5 25+□=61

6 29+□=83

7 46+□=64

8 67+□=83

9 10−□=7

10 17−□=8

11 21−□=13

12 23−□=18

13 30−□=11

14 12−□=9

15 34−□=19

16 78−□=29

4

길이 재기

학습 내용	학습한 날짜	맞힌 문제 수
1. 여러 가지 단위로 길이 재기, 1 cm 알아보기	월 일	/ 8
2. 자로 길이 재어 보기	월 일	/ 10
3. 길이 어림하기	월 일	/ 8

1 여러 가지 단위로 길이 재기, 1 cm 알아보기

정답 39쪽

* 그림을 보고 □ 안에 알맞은 수를 써넣으세요.

1

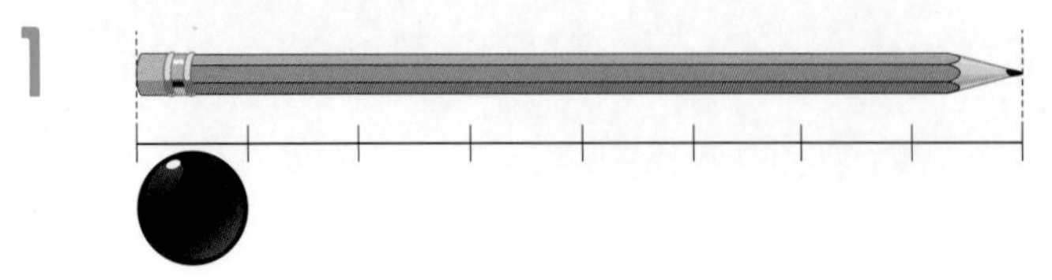

연필의 길이는 바둑알로 □번입니다.

2

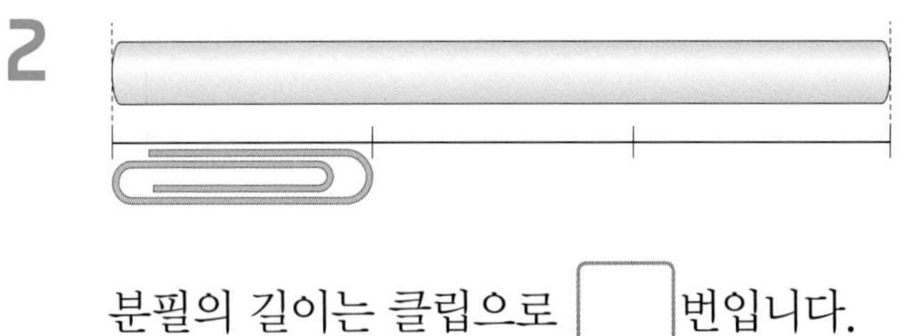

분필의 길이는 클립으로 □번입니다.

3

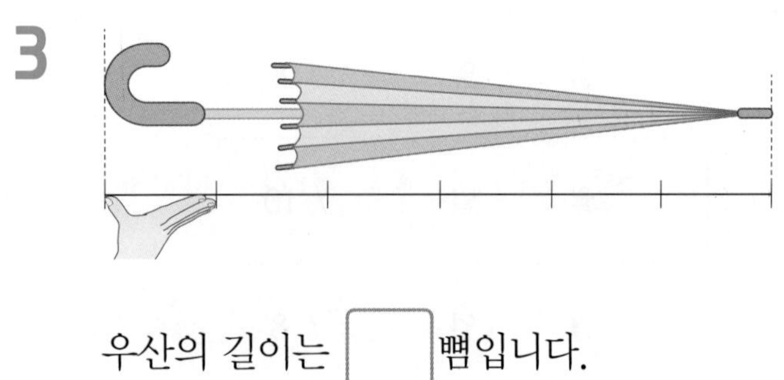

우산의 길이는 □뼘입니다.

4

색연필의 길이는 지우개로 □번입니다.

* 그림을 보고 알맞게 써 보세요.

5

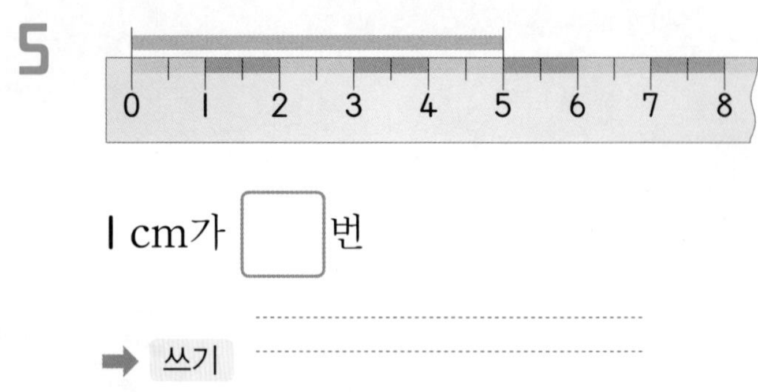

1 cm가 □번

➡ 쓰기

6

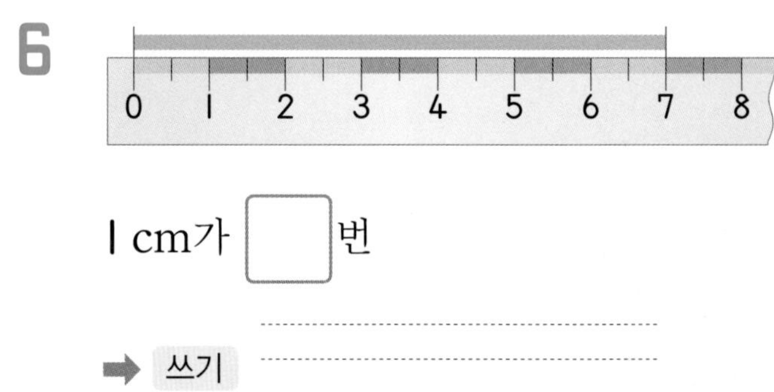

1 cm가 □번

➡ 쓰기

7

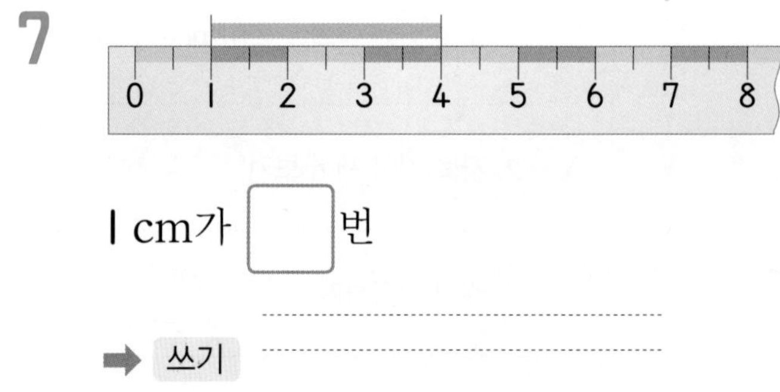

1 cm가 □번

➡ 쓰기

8

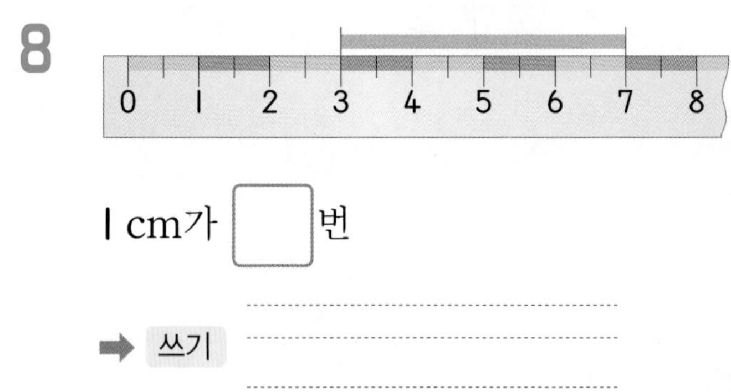

1 cm가 □번

➡ 쓰기

2 자로 길이 재어 보기

정답 39쪽

＊ 연필의 길이를 자로 재었습니다. □ 안에 알맞은 수를 써넣으세요.

1

0 1 2 3 4 5 6 7 8

연필의 양쪽 끝이 눈금 0과 □에 있으므로 연필의 길이는 □ cm입니다.

2

0 1 2 3 4 5 6 7 8

연필의 양쪽 끝이 눈금 0과 □에 있으므로 연필의 길이는 □ cm입니다.

3

0 1 2 3 4 5 6 7 8

연필의 길이는 1 cm가 □번이므로 □ cm입니다.

4

0 1 2 3 4 5 6 7 8

연필의 길이는 1 cm가 □번이므로 □ cm입니다.

＊ 막대의 길이를 자로 재어 보세요.

5

(　　　　　)

6

(　　　　　)

7

(　　　　　)

8

(　　　　　)

＊ 주어진 길이만큼 점선을 따라 선을 그어 보세요.

9 5 cm

10 6 cm

3 길이 어림하기

정답 39쪽

* □ 안에 알맞은 수를 써넣으세요.

1

머리핀의 한쪽 끝이 눈금 □에 가까우므로 머리핀의 길이는 약 □ cm입니다.

2

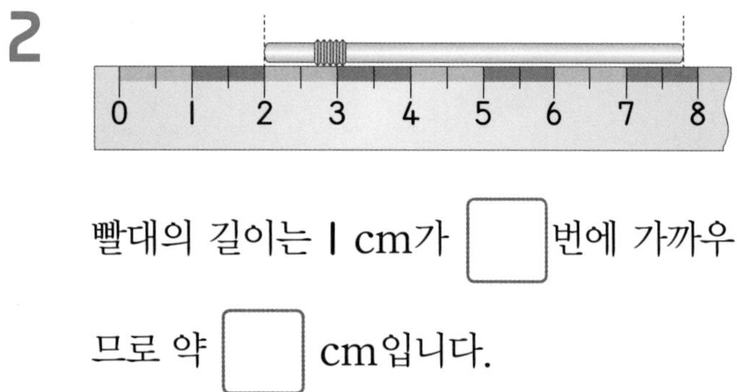

빨대의 길이는 1 cm가 □번에 가까우므로 약 □ cm입니다.

* 엄지손톱의 길이는 약 1 cm입니다. 엄지손톱을 이용해 물건의 길이를 어림해 보세요.

3

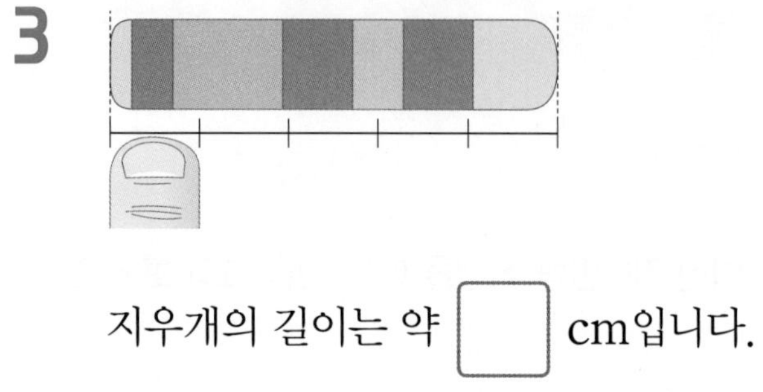

지우개의 길이는 약 □ cm입니다.

4

볼펜의 길이는 약 □ cm입니다.

* 주어진 회색 테이프의 길이를 이용하여 흰색 테이프의 길이를 어림하고 자로 재어 확인해 보세요.

5

2 cm

어림한 길이	자로 잰 길이
약 □ cm	□ cm

6

3 cm

어림한 길이	자로 잰 길이
약 □ cm	□ cm

7

6 cm

어림한 길이	자로 잰 길이
약 □ cm	□ cm

8

4 cm

어림한 길이	자로 잰 길이
약 □ cm	□ cm

5

분류하기

학습 내용	학습한 날짜	맞힌 문제 수
1. 분류는 어떻게 하는지 알아보기	월 일	/ 6
2. 기준에 따라 분류하기	월 일	/ 6
3. 분류하여 세어 보고 결과 말하기	월 일	/ 8

1 분류는 어떻게 하는지 알아보기

정답 39쪽

* 분류 기준으로 알맞지 않은 것을 찾아 ×표 하세요.

1

- 다리가 2개인 것과 다리가 4개인 것 (　　)
- 멋지게 생긴 것과 귀엽게 생긴 것 (　　)
- 날 수 있는 것과 날 수 없는 것 (　　)

2

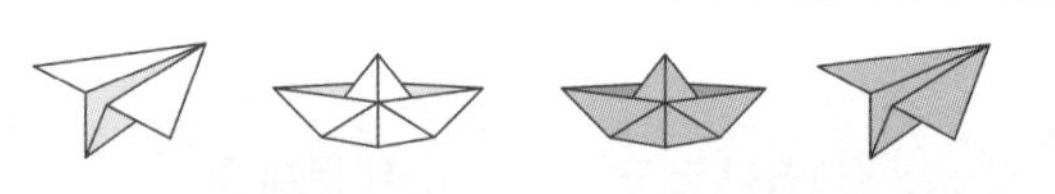

- 흰색 색종이로 만든 것과 회색 색종이로 만든 것 (　　)
- 배와 비행기 (　　)
- 예쁜 것과 예쁘지 않은 것 (　　)

3

- 좋아하는 것과 싫어하는 것 (　　)
- 농구공과 야구공 (　　)
- 큰 것과 작은 것 (　　)

* 알맞은 분류 기준을 찾아 선으로 이어 보세요.

4

	•　　•	색깔
㉠ ㉡ ① ② ㉢ ㉱ ⑤ ⑦	•　　•	모양
	•　　•	한글과 숫자

5

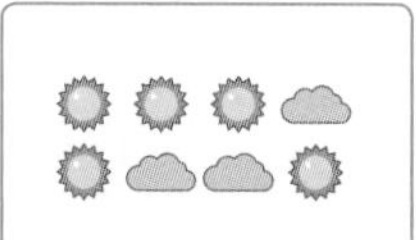	•　　•	점의 수
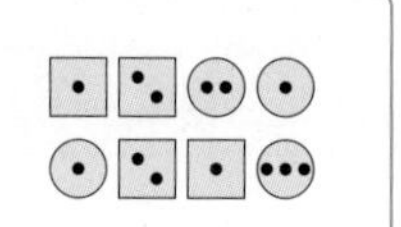	•　　•	크기
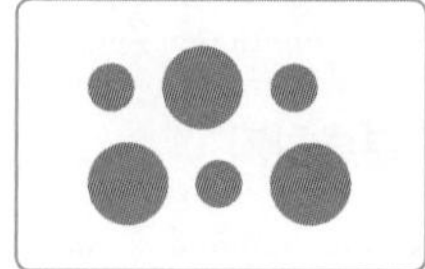	•　　•	맑은 날씨와 흐린 날씨

6

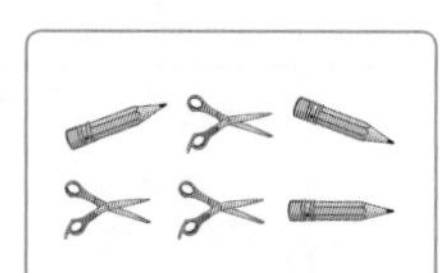	•　　•	종류
	•　　•	한 자리 수와 두 자리 수
①④⑬⑫② ⑦⑰㉖㉗⑨	•　　•	색깔

2 기준에 따라 분류하기

* 다음과 같이 분류하였습니다. 잘못 분류된 것을 찾아 ×표 하세요.

1

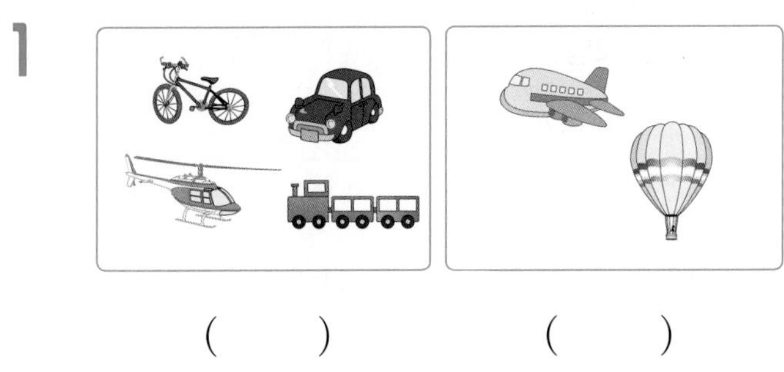

(　　)　　(　　)

2

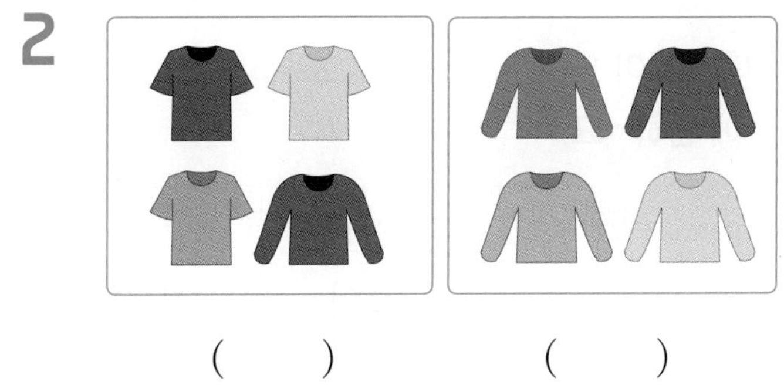

(　　)　　(　　)

3

(　　)　　(　　)

* 쓰레기 분리수거를 하려고 합니다. 물음에 답하세요.

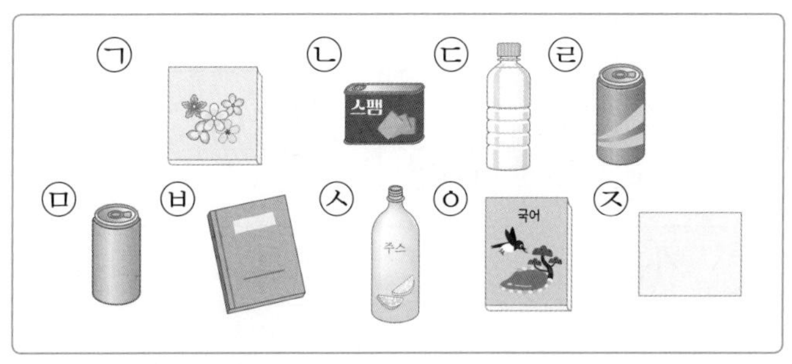

4 재료에 따라 분류하여 기호를 써 보세요.

재료	캔류	플라스틱류	종이류
기호			

5 참치 통조림은 어디에 분류해야 할까요?

(　　　　　　　　)

6 모양에 따라 분류하여 기호를 써 보세요.

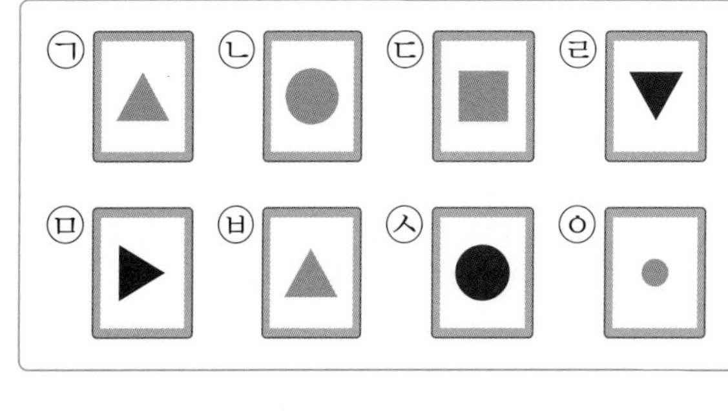

모양	△	○	□
기호			

3 분류하여 세어 보고 결과 말하기

정답 40쪽

* 친구들이 좋아하는 계절을 조사하였습니다. 물음에 답하세요.

봄	여름	가을	겨울
가을	가을	여름	겨울
가을	여름	가을	겨울

1 계절에 따라 분류하고 그 수를 세어 보세요.

계절	봄	여름	가을	겨울
친구 수(명)				

2 가장 많은 친구가 좋아하는 계절은 무엇인가요?

( )

3 가장 적은 친구가 좋아하는 계절은 무엇인가요?

( )

* 단추를 보고 물음에 답하세요.

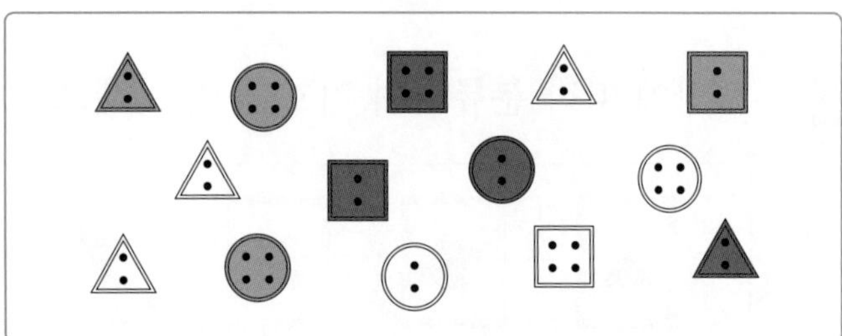

4 단추 구멍 수에 따라 단추를 분류하고 그 수를 세어 보세요.

구멍 수	2개	4개
단추 수(개)		

5 모양에 따라 단추를 분류하고 그 수를 세어 보세요.

모양	△	○	□
단추 수(개)			

6 다음과 같은 기준에 알맞은 것은 모두 몇 개인가요?

- 구멍이 4개입니다.
- ○ 모양입니다.

( )

* 친구들이 먹고 싶은 음식을 조사하였습니다. 물음에 답하세요.

피자	떡볶이	떡볶이
피자	떡볶이	떡볶이
라면	떡볶이	라면

7 종류에 따라 음식을 분류하고 그 수를 세어 보세요.

종류	피자	떡볶이	라면
친구 수(명)			

8 가장 많은 친구가 먹고 싶은 음식을 주문하려고 합니다. 어떤 음식을 주문해야 하나요?

( )

6

곱셈

학습 내용	학습한 날짜	맞힌 문제 수
1. 묶어 세어 보기	월 일	/ 8
2. 몇의 몇 배 알아보기	월 일	/ 6
3. 곱셈 알아보기, 곱셈식으로 나타내기	월 일	/ 6

1 묶어 세어 보기

정답 40쪽

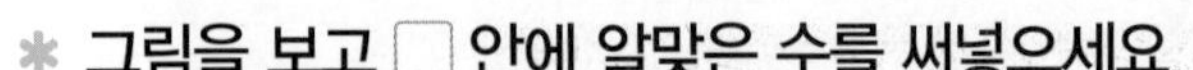

1

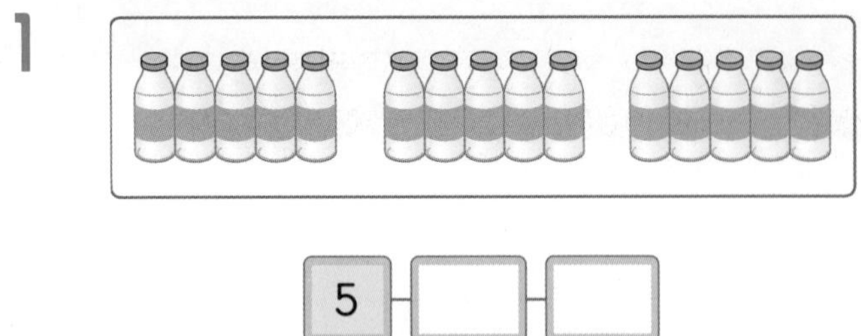

2

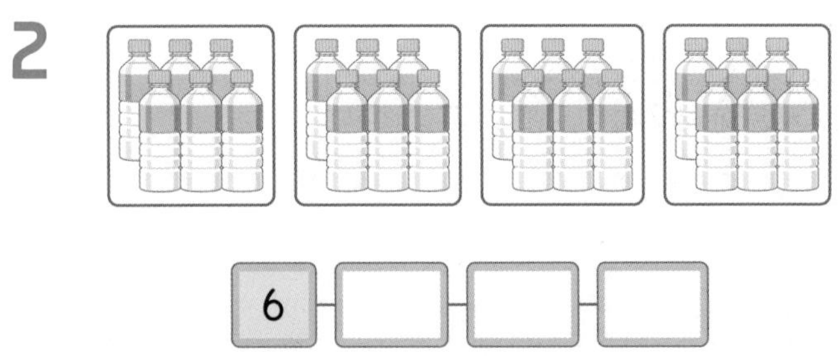

3

4

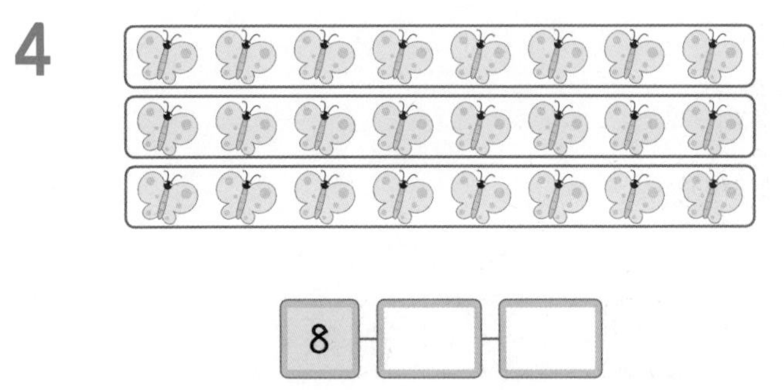

* 묶어 세어 보고 □ 안에 알맞은 수를 써넣으세요.

5

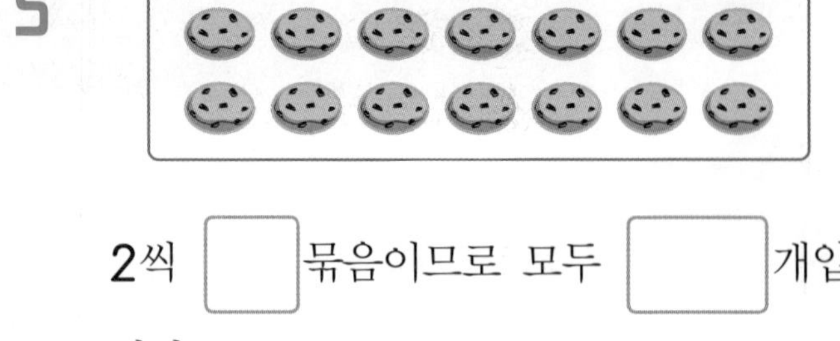

2씩 □ 묶음이므로 모두 □ 개입니다.

6

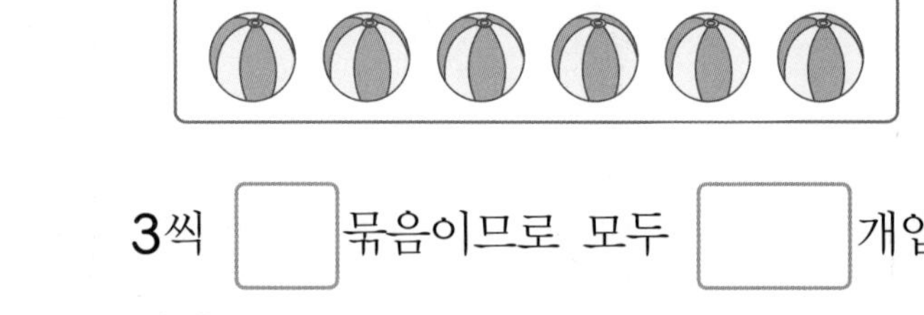

3씩 □ 묶음이므로 모두 □ 개입니다.

7

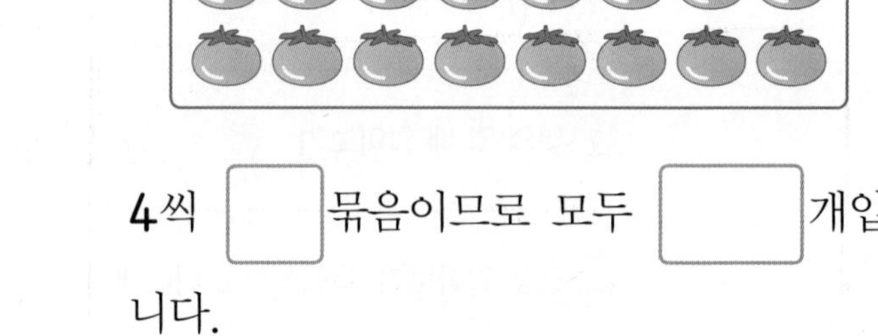

4씩 □ 묶음이므로 모두 □ 개입니다.

8

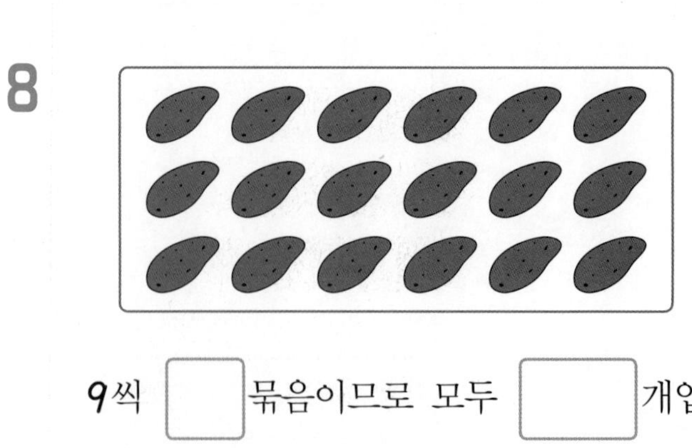

9씩 □ 묶음이므로 모두 □ 개입니다.

2 몇의 몇 배 알아보기

정답 40쪽

＊ 그림을 보고 □ 안에 알맞은 수를 써넣으세요.

1

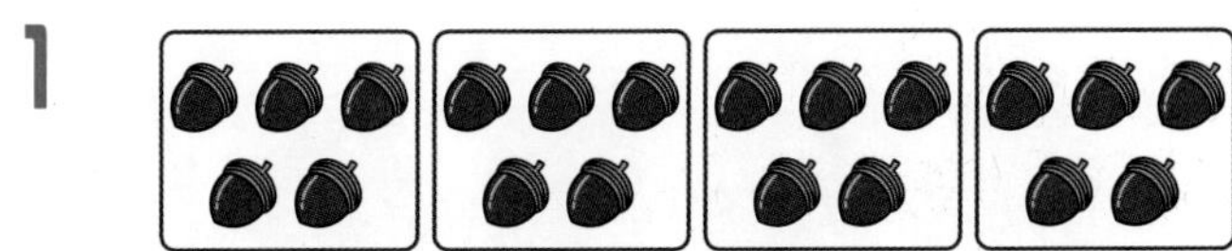

5씩 □ 묶음 ➡ □의 □배

➡ 5+□+□+□=□

2

4씩 □ 묶음 ➡ □의 □배

➡ 4+□+□=□

3

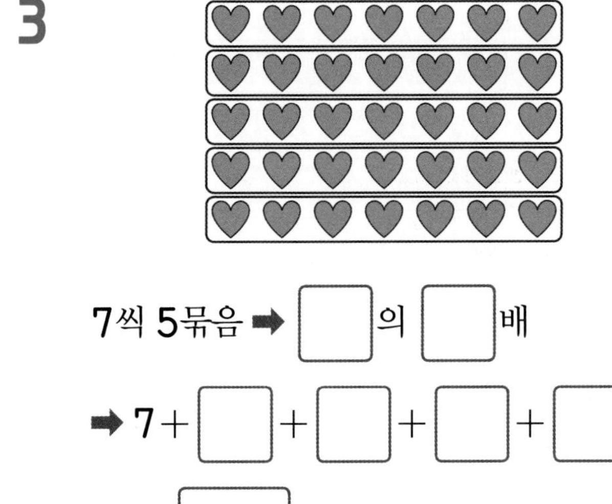

7씩 5묶음 ➡ □의 □배

➡ 7+□+□+□+□

=□

＊ 같은 것끼리 선으로 이어 보세요.

4

2씩 7묶음 •		• 7의 9배
3씩 9묶음 •		• 3의 9배
		• 2의 7배

5

6의 4배 •		• 8씩 3묶음
8의 3배 •		• 6씩 4묶음
		• 6+6+6

6

3의 4배 •		• 3+3+3+3
9의 3배 •		• 27
		• 9+3

3 곱셈 알아보기, 곱셈식으로 나타내기

정답 40쪽

* 그림을 보고 ☐ 안에 알맞은 수를 써넣으세요.

1

☐ + ☐ + ☐ + ☐ = ☐

➡ ☐ × ☐ = ☐

2

☐ + ☐ + ☐ = ☐

➡ ☐ × ☐ = ☐

3

☐ + ☐ + ☐ + ☐ + ☐

= ☐

➡ ☐ × ☐ = ☐

* 그림을 보고 덧셈식과 곱셈식으로 나타내어 보세요.

4

덧셈식 ______

곱셈식 ______

5

덧셈식 ______

곱셈식 ______

6

덧셈식 ______

곱셈식 ______

만점왕 수학 2-1
알파북

정답

1 세 자리 수

1 백, 몇백 알아보기 4쪽

1 1　2 2　3 5　4 8

5 10　6 30　7 50　8 70

9 3, 300, 삼백　10 4, 400, 사백

11 7, 700, 칠백

2 세 자리 수 알아보기 5쪽

1 1, 9, 5 / 195, 백구십오

2 5, 3, 6 / 536, 오백삼십육

3 사백구십일　4 팔백팔십팔

5 721　6 260

7 623　8 225

9 807　10 490

3 각 자리의 숫자가 나타내는 수 알아보기 6쪽

1 9, 1　2 5, 2, 5

3 2, 0, 0　4 30

5 700　6 5

7 689　8 968

9 896　10 60, 2

11 900, 10　12 429

4 뛰어 세어 보기 7쪽

1 314, 514, 614　2 333, 533, 733

3 234, 244, 254

4 333, 343, 373, 383

5 215, 217, 219

6 333, 334, 336, 338

7 894, 896　8 760, 740, 730

9 221, 421　10 358

11 941　12 385

5 수의 크기 비교하기 8쪽

1 529, <, 618　2 305, >, 303

3 490, >, 480　4 <

5 >　6 <

7 왼쪽에 ○표　8 왼쪽에 ○표

9 오른쪽에 ○표

2 여러 가지 도형

1 △을 알아보기 10쪽

1 (○) (　) (　)

2 (　) (　) (○)

3 (○) (　　) (　　)

4 (　　) (○) (　　)

5 (　　) (○) (　　)

6 (위에서부터) 꼭짓점, 변

7 예

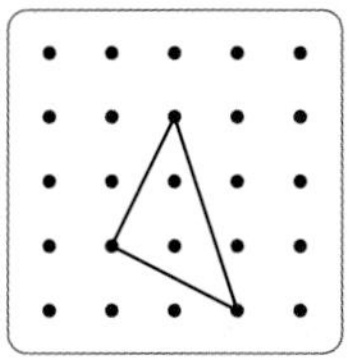

8 ○

9 ×

10 ○

11 ×

12 ×

2 □을 알아보기 11쪽

1 (　　) (　　) (○)

2 (　　) (○) (　　)

3 (○) (　　) (　　)

4 (　　) (　　) (○)

5 (○) (　　) (　　)

6 (　　) (　　) (○)

7 예

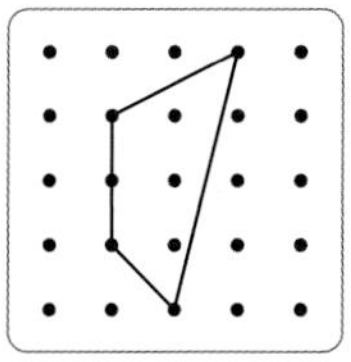

8 ×

9 ○

10 ×

11 ○

12 ×

3 ○을 알아보기 12쪽

1 (○) (　　) (　　)

2 (　　) (　　) (○)

3 (　　) (○) (　　)

4 (　　) (　　) (○)

5 ④

6 2개

7 예

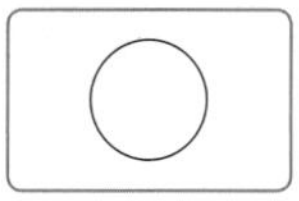

8 ×

9 ○

10 ○

11 ○

12 ×

4 칠교판으로 모양 만들기 13쪽

1 7개

2 5개

3 2개

4 예

5 예

6 예

7 예

8 예

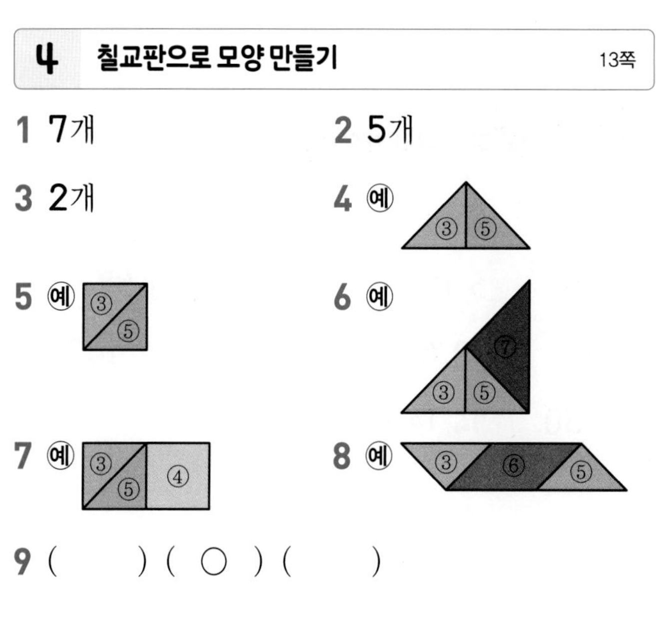

9 (　　) (○) (　　)

5 여러 가지 모양으로 쌓기 14쪽

1 3개

2 4개

3 4개

4 4개

5 5개

6

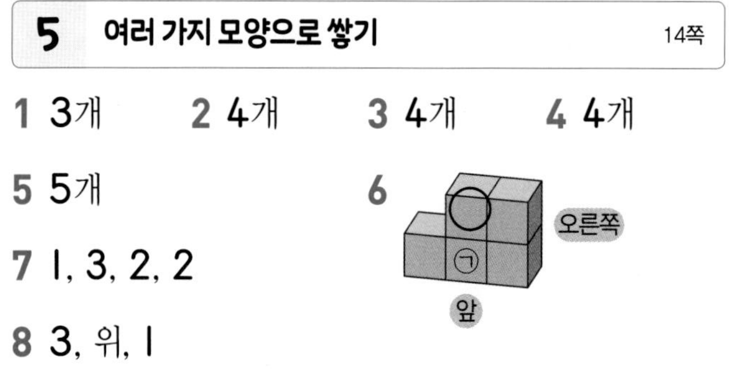

7 1, 3, 2, 2

8 3, 위, 1

3 덧셈과 뺄셈

1 덧셈을 하는 여러 가지 방법 알아보기 (1) 16쪽

1 31 2 22 3 82 4 41
5 35 6 73 7 54 8 71
9 82 10 23 11 91 12 32
13 23 14 44

2 덧셈을 하는 여러 가지 방법 알아보기 (2) 17쪽

1 51 2 61 3 92 4 107
5 116 6 122 7 142 8 67
9 70 10 65 11 61 12 143
13 130 14 143

3 뺄셈을 하는 여러 가지 방법 알아보기 (1) 18쪽

1 7 2 37 3 58 4 28
5 16 6 38 7 48 8 15
9 58 10 18 11 44 12 8
13 78 14 29

4 뺄셈을 하는 여러 가지 방법 알아보기 (2) 19쪽

1 18 2 13 3 37 4 5
5 16 6 19 7 39 8 9
9 58 10 22 11 7 12 25
13 13 14 38

5 세 수의 계산하기 20쪽

1 (계산 순서대로) 57, 86, 86
2 (계산 순서대로) 28, 5, 5
3 (계산 순서대로) 39, 24, 24
4 (계산 순서대로) 38, 85, 85
5 (계산 순서대로) 52, 25, 25
6 69 7 96 8 27 9 54
10 93 11 14 12 54

6 덧셈과 뺄셈의 관계를 식으로 나타내기 21쪽

1 10, 6 / 10, 4 2 41, 16 / 41, 25
3 62, 39 / 62, 23 4 44, 29 / 44, 15
5 71, 32, 39 / 71, 39, 32
(또는 71, 39, 32 / 71, 32, 39)
6 15, 32 / 17, 32 7 5, 31 / 26, 31
8 39, 53 / 14, 53 9 19, 72 / 53, 72
10 62, 28, 90 / 28, 62, 90
(또는 28, 62, 90 / 62, 28, 90)

7 □의 값 구하기 22쪽

1 8 2 18 3 9 4 19

5 36 6 54 7 18 8 16

9 3 10 9 11 8 12 5

13 19 14 3 15 15 16 49

4 길이 재기

1 여러 가지 단위로 길이 재기, 1 cm 알아보기 24쪽

1 8 2 3

3 6 4 4

5 5, 5 cm 6 7, 7 cm

7 3, 3 cm 8 4, 4 cm

2 자로 길이 재어 보기 25쪽

1 6, 6 2 4, 4

3 5, 5 4 6, 6

5 7 cm 6 2 cm

7 8 cm 8 5 cm

9 예

10 예

3 길이 어림하기 26쪽

1 2, 2 2 6, 6 3 5 4 8

5 예 4, 4 6 예 5, 5 7 예 2, 2 8 예 7, 7

5 분류하기

1 분류는 어떻게 하는지 알아보기 28쪽

1 ( ) (×) ( )

2 ( ) ( ) (×)

3 (×) ( ) ( )

4

5

6

2 기준에 따라 분류하기 29쪽

1 (×) (   ) 2 (×) (   )

3 (   ) (×)

4 ㉡, ㉣, ㉤ / ㉢, ㉦ / ㉠, ㉥, ㉧, ㉨

5 캔류

6 ㉠, ㉣, ㉤, ㉥ / ㉡, ㉦, ㉧ / ㉢

3 분류하여 세어 보고 결과 말하기 30쪽

1 1, 3, 5, 3

2 가을

3 봄

4 9, 5

5 5, 5, 4

6 3개

7 2, 5, 2

8 떡볶이

6 곱셈

1 묶어 세어 보기 32쪽

1 10, 15

2 12, 18, 24

3 8, 12, 16

4 16, 24

5 7, 14

6 4, 12

7 4, 16

8 2, 18

2 몇의 몇 배 알아보기 33쪽

1 4 / 5, 4 / 5, 5, 5, 20

2 3 / 4, 3 / 4, 4, 12

3 7, 5 / 7, 7, 7, 7, 35

4

5

6

3 곱셈 알아보기, 곱셈식으로 나타내기 34쪽

1 6, 6, 6, 6, 24 / 6, 4, 24

2 9, 9, 9, 27 / 9, 3, 27

3 5, 5, 5, 5, 5, 25 / 5, 5, 25

4 덧셈식 $8+8+8+8+8=40$

곱셈식 $8\times5=40$

5 덧셈식 $5+5+5=15$

곱셈식 $5\times3=15$

6 덧셈식 $7+7+7+7+7+7=42$

곱셈식 $7\times6=42$